D0521881

© Casterman, 1995, 1998. ISBN 2-203-12834-8

Claude Gutman

La dame des poux

illustré par Serge Bloch

SIX & PLUS | **casterman**

CE MATIN-LÀ, comme tous les matins, pour commencer la classe, Georgette, la maîtresse, nous laissait raconter à tour de rôle tout ce qu'on voulait.

Olivier-la-science était en train d'expliquer qu'avant les hommes, il y avait les Romains et des dinosaures, quand la porte s'est ouverte...

On s'est levés, le directeur est entré. On s'est rassis. Il a parlé en secret à Georgette en lui tendant une pile de feuilles. Il est parti.

Olivier-la-science a voulu expliquer la mort des dinosaures à cause de la chaleur, mais Georgette l'a renvoyé à sa place avec tous les livres qu'il avait apportés.

Georgette a pris sa voix et sa tête de malheur qui arrive.

– Écoutez, les enfants. Les dinosaures, c'est très bien, mais il y a des animaux bien plus petits qui sont bien plus embêtants.

Et elle nous a distribué des feuilles à faire signer par nos parents et surtout-n'oubliez-pas.

Le soir, mon père m'a regardé en souriant. Il a signé.

« Ça y est, ça recommence », a-t-il murmuré.

Le lendemain, sur la porte de l'école, une grande affiche annonçait « Guerre aux poux ! » et tous les parents tendaient des cous de girafe pour voir.

10

Et ils se sont mis à parler entre eux, et qu'ils se reverraient à la réunion.

Maman m'a dit:
« Bonne journée, Jonathan », et elle m'a caressé les cheveux. « Oh ! » a fait la mère de Laurent, dégoûtée.
Maman a haussé les épaules.

Juste après la récréation du matin, la dame des poux est entrée dans la classe.

Elle s'est mise à regarder nos cheveux. Elle soulevait les mèches, demandait si ça grattait, remettait ses lunettes et repartait chercher des poux dans la tête des autres.

« Bien, a-t-elle dit, en montant sur l'estrade. Maintenant on va tirer les rideaux. »

« Chouette ! a dit Omar, c'est comme au cinoche ! »

On a tous ri. Puis de moins en moins, quand passaient les diapositives.

Ce n'était pas nous en classe verte avec
Georgette en short ou en vélo, mais
des animaux énormes, aussi gros que
les dinosaures d'Olivier...

La dame des poux disait que les lentes

14

étaient presque microscopiques, qu'on les voyait à peine, que ça ressemblait à des pellicules et qu'ensuite ça devenait de véritables poux.

Ils étaient si énormes sur l'image qu'ils faisaient peur comme des monstres.

Elle disait que ça démangeait, que ça grattait jusqu'au sang, que c'était terrible...

Quand la lumière s'est rallumée, toute la classe se grattait la tête.
La dame des poux nous a encore remis un papier avec des dessins.

Elle nous a dit de bien suivre ce qui était écrit et qu'elle reviendrait la semaine suivante.

Georgette a tout réexpliqué et elle en a profité pour nous dire que les mots en « ou » faisaient leur pluriel en « ous » sauf « chou, genou, hibou, caillou, joujou, pou » plus un autre qu'elle avait oublié parce qu'elle était énervée.

« Et si tous les parents s'y mettent, dans huit jours, il n'y aura plus de poux à l'école. »

Les parents s'y sont mis. J'ai accompagné maman à la réunion dans le préau. Maman n'a rien dit. Tous les autres parlaient en même temps.

Ils hurlaient. Ils savaient tous comment s'y prendre.

On aurait dit notre classe quand Georgette était absente. Les mamans criaient plus pointu que les papas, qui auraient bien tué les poux à grands coups de poing. Et les mamans en arrachant les cheveux.

Ils disaient tous que les poux résistaient à tous les traitements et que les produits ne servaient à rien.

« Viens, m'a dit maman, en m'entraînant dans la rue. Ne t'inquiète pas. »

Il suffisait de surveiller mes cheveux et si j'attrapais des poux, il existait des méthodes efficaces. Il fallait croire la dame des poux.

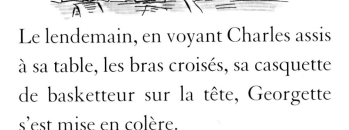

Le lendemain, en voyant Charles assis à sa table, les bras croisés, sa casquette de basketteur sur la tête, Georgette s'est mise en colère.

« Personne ne t'a appris la politesse, Charles ? En classe, on ôte son chapeau. »

Charles a pleuré. Mais Georgette faisait des yeux si terribles. Alors il a enlevé sa casquette.

Georgette s'est excusée. Mais les cheveux de Charles n'ont pas repoussé à la seconde...

UNE SEMAINE de rigolade et d'engueulades entre les devoirs et les leçons, à comparer nos traitements et à nous traiter.

Les poux, c'est contagieux. Ils ont tout envahi : la cour de récré, les cabinets, la cantine, la maison et les discussions.

Chacun racontait sa tactique de tueur
de poux. Les shampooings, les poudres,

24

les vaporisateurs, le vinaigre et les
parents qui se grattaient aussi.

En fait, depuis qu'on avait déclaré la guerre aux poux, personne ne savait s'il en avait ou non.

Et au bout de la semaine, comme des images on a tous attendu la dame des poux pour l'inspection.

Elle seule pourrait nous dire.

Elle est entrée.

« C'est bien », elle a dit à Pauline.

« Très bien », elle a dit à Charles.

Elle était fière de nous. Georgette aussi.

Soudain, Paul-Hugo s'est mis à crier :

« Me touchez pas ! Me touchez pas ! »

La dame des poux s'est reculée.

« Et pourquoi ? »

« Parce que vous avez des lentes, là, je les vois. »

Et Paul-Hugo a montré du doigt.

La dame des poux est devenue toute rouge. Elle avait des poux, la dame des poux.

Claude Gutman est une des rares stars du livre pour la jeunesse en France. Les succès de *Toufdepoil* (Pocket), de *Danger, gros mots* (Syros, puis Pocket) ou de *La maison vide* (Gallimard) en sont autant de preuves. Pour Casterman, Claude Gutman a écrit tous les titres de la série « Vive la grande école ».

Rédacteur en chef graphique de la revue *Astrapi* (Bayard Presse), **Serge Bloch** n'a presque pas besoin d'être présenté. On retrouve très régulièrement ses dessins dans les livres pour la jeunesse (série « Max et Lili », Calligram), chez Casterman dans la collection « Romans HUIT/DIX & PLUS ».

Dans la même série,
par les mêmes auteurs